W9-CTT-887

亲爱的读者们，你们知道吗，不是只有成为专家后才可以观察太阳系。现在我们只需一架小小的望远镜，就可以清楚地看到这些天体——比伽利略当年用他的仪器看得还要清楚。透过100倍放大率望远镜的目镜，我们可以看到如右边这些圆圈中所显示的太阳、月球和行星。

警告：千万不要用望远镜直接看太阳，除非你有特殊的太阳滤光器，否则会损害你的眼睛！

太阳

月球

火星

木星

水星

金星

土星

天王星

海王星

NATIONAL GEOGRAPHIC
美国国家地理

大石天文馆

13颗行星

太阳系的新秩序

【美】戴维·A.阿吉拉 著　徐怡冬 译

全国百佳图书出版单位

时代出版传媒股份有限公司

安徽少年儿童出版社

Boulder Publishing
大石精品图书

著作权登记号：皖登字12121096号

美国国家地理学会是世界上最大的非营利科学与教育组织之一。学会成立于1888年，以"增进与普及地理知识"为宗旨，致力于启发人们对地球的关心。美国国家地理学会通过杂志、电视节目、影片、音乐、电台、图书、DVD、地图、展览、活动、学校出版计划、交互式媒体与商品来呈现世界。美国国家地理学会的会刊《国家地理》杂志，以英文及其他33种语言发行，每月有3800万读者阅读。美国国家地理频道在166个国家以34种语言播放，有3.2亿个家庭收看。美国国家地理学会资助超过10,000项科学研究、环境保护与探索计划，并支持一项扫除"地理文盲"的教育计划。

图书在版编目（CIP）数据

美国国家地理·13颗行星：太阳系的新秩序 /
（美）阿吉拉著; 徐怡冬译.
—合肥：安徽少年儿童出版社，2012.7（2015.4重印）
ISBN 978-7-5397-6161-9

Ⅰ.①美⋯ Ⅱ.①阿⋯ ②徐⋯
Ⅲ.①行星－少儿读物 Ⅳ.①P185-49

中国版本图书馆CIP数据核字（2012）第151982号

图片出处

All artwork & photography
by David Aguilar unless otherwise noted below:

Ju-Seok, Choi: 47 (top), 49 (top);
Stocktrek Images/ Corbis: 2 (background), 64;
NASA: 22 (all), 29 (all), 35 (all), 38 (all), 43 (bottom), 51 (earth);
Michael Hampshire/ NationalGeographicStock.com: 31 (top),
51 (top);
Michael Whelan/ NationalGeographicStock.com:
15 (top), 17 (top), 19 (top), 21 (top), 27 (top), 33 (top), 37 (top), 41
(top), 43 (top), 45 (top)

MEIGUO GUOJIA DILI 13 KE XINGXING TAIYANGXI DE XIN ZHIXU

美国国家地理·13颗行星：太阳系的新秩序　　　　　　　　　（美）戴维·A. 阿吉拉 著　徐怡冬 译

出 版 人：张克文　　　　　　　总 策 划：李永适　　　　　　　　版权运作：彭龙仪
责任印制：宁 波　　　　　　　责任编辑：王笑非 唐 悦 丁 倩　　责任校对：吴光勤
特约编辑：于艳慧　　　　　　　美术编辑：徐晓莉 王 召 郑新蕊
出版发行：时代出版传媒股份有限公司 http://www.press-mart.com
　　　　　安徽少年儿童出版社 E-mail：ahse1984@163.com
　　　　　新浪官方微博：http://weibo.com/ahsecbs
　　　　　腾讯官方微博：http://t.qq.com/anhuishaonianer　（QQ：2202426653）
　　　　　（安徽省合肥市翡翠路1118号出版传媒广场　　邮政编码：230071）
　　　　　市场营销部电话：（0551）63533532（办公室）　（0551）63533524（传真）
　　　　　（如发现印装质量问题，影响阅读，请与本社市场营销部联系调换）
印　　制：小森印刷（北京）有限公司
开　　本：889mm×1194mm　　1/16　　　　印张：4　　　字数：80千字
版　　次：2012年8月第1版　　印　　次：2015年4月第6次印刷

ISBN 978-7-5397-6161-9　　　　　　　　　　　　　　　　　　　定价：25.00元

目录CONTENTS

前言 FOREWORD

很久很久以前，古人们认为在遥远的空中有七颗"行星"：月球、水星、金星、太阳、火星、木星和土星，认为地球是固定不动的，七颗"行星"都围绕着地球旋转。然后到了大约500年前，尼古拉·哥白尼出现了，他提出了"太阳系"的概念，他说其实位于中心位置的是太阳，水星、金星、地球（带着月球）、火星、木星和土星这六颗行星绕着太阳转。太阳的系统的确是这样，今天我们还知道地球在绕太阳公转的同时还在自转。一切显得简单明了而精致。

三个世纪过去以后，事情变得不再那么简单了。1781年，人们又发现了一颗大行星并把它命名为天王星，随后又陆续发现了许多小行星，并给它们逐一命名，如谷神星、义神星、花神星、健神星和司赋星。1846年，又有一颗大行星——海王星——获得了行星的身份。到1854年，共有41颗行星被发现，天文学家们喊道："够了！"于是他们一致决定其中八颗为大行星，而其余那些小家伙并不是真正的行星，而是小行星。

现在天文学家们明白了，太阳系要比人们在19世纪50年代所想象的复杂得多，也有趣得多。人们已经在太阳系里发现了一百三十多颗天然卫星，而且还有更多等待人们去发现。其中，土星的第六颗卫星——土卫六"泰坦星"比水星还要大。假设泰坦星和我们的月球具有独立轨道的话，那么它们会被划入行星。天文学家现在已经知道了将近50万颗小行星的轨道，其中有一半已经被编了号，并且大约有15,000颗被赋予了名字。这些小行星几乎全部都是形状不规则的岩石，但其中至少有一颗——谷神星——的质量足够大，在引力的作用下变成了球形，所以谷神星也是一颗矮行星。（矮行星是天文学家们新定义的一类小型行星，又叫"侏儒行星"，体积介于行星和小行星之间。）

宇宙中还有彗星，它们囤积在比海王星还远的地方，处于深度冻结的状态。偶尔，其中一些脏兮兮的巨大冰块受到轻微的碰撞，进入到太阳系的内部，之后它们会融化并拖出长长的、美丽的"尾巴"。这些"冰球"中的少数几颗拥有足够大的质量，把自身拉成了球形的矮行星。冥王星就是其中之一，它比月球还小。而鸟神星和妊神星比冥王星还要小，不过阋神星就比冥王星略大些。这四颗矮行星中有三颗甚至还有自己的卫星。毫无疑问，还有很多这样的冰矮行星正等着被人们发现。

目前，太阳系里一共有八颗经典的行星和五颗矮行星，总共13颗！

欧文·金格里奇博士
哈佛大学前天文学研究教授
史密松天文台名誉天文学家
2010年8月

太阳系的最新概观

我们的太阳是一颗中等大小的浅黄色恒星。它的引力牵引着13颗行星以及无数的小行星和冰质彗星，让它们都围绕自己旋转。根据行星的大小、内部结合的紧密程度（密度），以及是由什么东西组成的（成分），我们可以把它们分为三类。在离太阳较近的轨道上，我们可以找到四个体积小、密度高的岩石世界，它们是水星、金星、地球和火星，它们被称作"类地行星"（英文为"terrestrial planet"，拉丁词"terra"的意思就是"土地"）。火星的外面是小行星带——一个充满了岩石残骸的区域，这些岩

谷神星

火星

地球

金星

水星

木星

太阳

VIEW OF THE SOLAR SYSTEM

石碎片是太阳系形成的时候遗留下来的。这个小行星带里还藏着一类新的行星——一颗被命名为谷神星的矮行星。位于小行星带外面的是气态巨行星：木星、土星、天王星和海王星。它们是由冰冻的气

体组成的世界，是被行星环和无数卫星围绕着的怪物。在气态巨行星的外面是柯伊伯带——一个充满彗星和其他天体的区域。柯伊伯带还包含了另外四颗矮行星：冥王星、妊神星、鸟神星和阋神星。

这幅图显示了13颗行星的相对大小，而不是它们之间的相对距离。如果太阳的直径是100厘米，那么矮行星阋神星距离太阳大约为7,083米，相当于580辆大型校车首尾相接排成一排的长度，或77个足球场的长度！

土星

天王星

海王星

冥王星

妊神星

鸟神星

阋神星

我们的太阳系是如何形成的
HOW OUR SOLAR SYSTEM FORMED

大约在50亿年以前，一颗巨大的恒星爆炸而变成了一颗超新星。这次爆炸发出的冲击波在空间中荡漾开来，产生了一团旋转的、由气体和恒星尘埃组成的云。随着这个云团旋转得越来越快，它逐渐形成了一个个尘埃盘，并且尘埃盘的中心形成了发光的红色鼓包。其中的一个鼓包开始慢慢变热，最终成为了我们的太阳。

与此同时，在距离这个鼓包的不远处，含有碳、硅、冰的尘埃和岩石小颗粒碰撞到一起，形成了被称为微行星的小物体。微行星很快就融合在一起，形成了多岩石的类地行星，地球就是其中之一。类地行星离太阳比较近，富含金属，其中一些金属我们可以用来建造桥梁、制造汽车。

在距离太阳较远的外层空间，像木星和土星这样更大的行星聚集了冰、氢气和甲烷气体，成为气态巨行星。气态巨行星的温度很低，是冰冻的世界。气态巨行星再往外是矮行星，它们由冰和岩石构成。

无论天文学家们把他们的望远镜指向哪儿，总能看见新的恒星系正在形成。其中一些有着像甜甜圈（美国的一种圆圈形的甜品）似的厚厚的尘埃环，那里深藏着婴儿时代的行星。另一些则拥有薄薄的尘埃环，在那空旷的空间里，新的行星已经形成了。今天，我们已经识别出了一千多颗围绕着遥远恒星旋转的新行星，以及47个新恒星系。新发现的行星数目将在接下来的几年中增长到几千颗，也许其中会有一颗和我们的地球类似。

旋转的气体与
恒星尘埃团

正在形成的
尘埃盘

微行星逐渐
成长为行星

我们今天的
太阳系

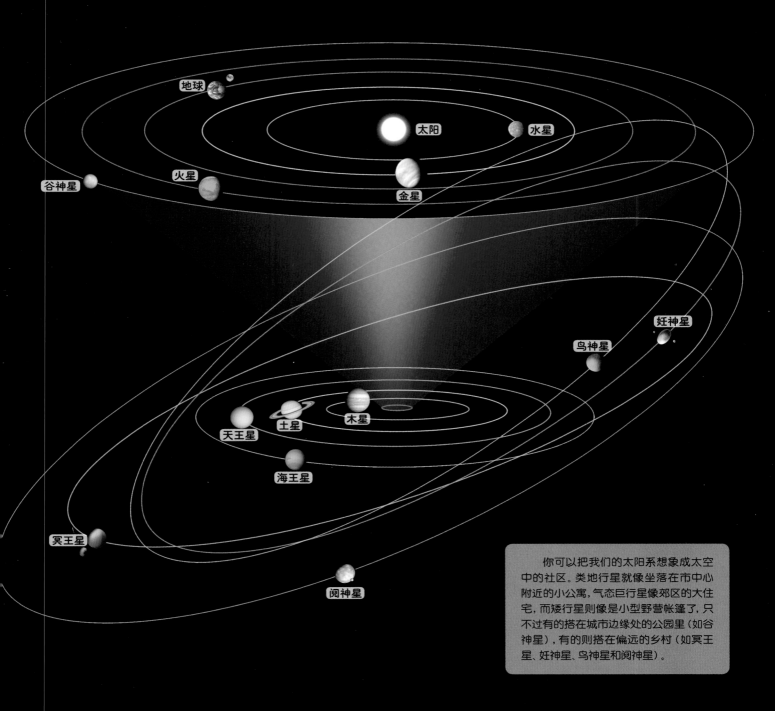

地球

太阳

水星

谷神星

火星

金星

妊神星

鸟神星

天王星

土星

木星

海王星

冥王星

阅神星

你可以把我们的太阳系想象成太空中的社区。类地行星就像坐落在市中心附近的小公寓，气态巨行星像郊区的大住宅，而矮行星则像是小型野营帐篷了，只不过有的搭在城市边缘处的公园里（如谷神星），有的则搭在偏远的乡村（如冥王星、妊神星、鸟神星和阅神星）。

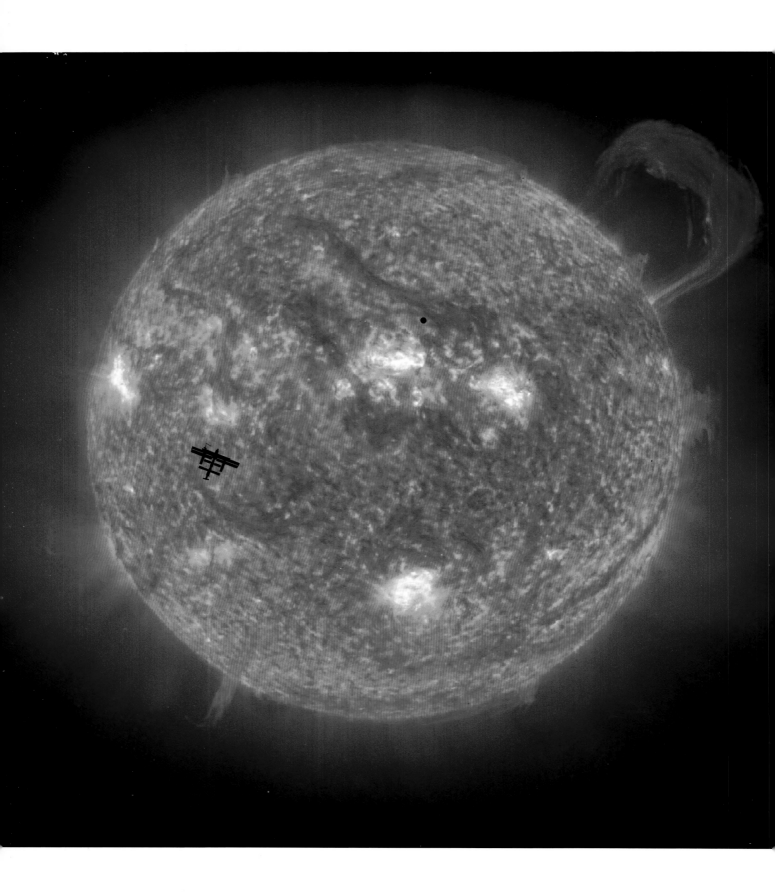

14

太阳
SUN

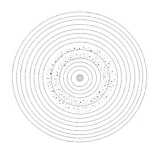

太阳：太阳系的中心

大家可以给你们的父母出一道小小的考题：距离地球最近的恒星是哪颗？答案就是我们的太阳！这颗浅黄色的恒星依靠自身的巨大引力，把整个太阳系束缚起来。太阳还是我们的能量源泉，地球上的种种生命都依靠太阳而得以维持。太阳表面的平均温度达5,500℃，它是一个巨大的气体火球，含有74%的氢和25%的氦（装饰气球里充的就是氦气），剩下的1%则是铁、铀等重元素。这些重元素是由更古老的恒星在剧烈的爆炸中产生的。

我们的太阳是第三代恒星。所有可以在太阳、地球，甚至是我们自己身体中找到的重元素，都是前两代恒星制造出来的。第一代与第二代恒星诞生又消失，并把它们生命中产生的重元素留给下一代恒星。太阳系中的一切都是由这些循环利用的星际尘埃组成的，这一点难道不令人惊奇吗？

透过特殊的太阳滤光器，我们看到水星（上方的黑点）和国际空间站正从这个发光发热的耀眼球体前经过。图中右上方是一个太阳耀斑，这样一个太阳耀斑所释放出的能量比人类引爆所有原子弹的能量总和还要大。

古希腊人和古罗马人认为，太阳神（Sun）是所有的神当中最强大的。希腊人给太阳神取名为阿波罗。阿波罗是地球上生命的给予者，也是音乐家和诗人的守护神。星期日（英文为Sunday）就是为了向太阳神致敬而命名的。

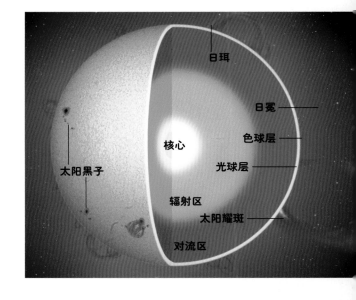

日珥
日冕
色球层
光球层
核心
太阳黑子
辐射区
太阳耀斑
对流区

太阳的光亮表面被称为光球层，太阳黑子、被称作日珥的一圈圈气体，以及爆发式的太阳耀斑就发生在这里。太阳的核心是个核熔炉，它发出的热量依次通过辐射区、对流区和色球层，然后到达太阳表面。这个过程大约要经过100万年。接着，仅仅九分钟之后，我们就会在地球上感受到太阳的温暖了。

水星
MERCURY

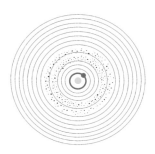

水星：
距离太阳最近的行星

水星是一颗毫无生机的行星，也是太阳系内表面坑洞最多的天体。在水星上，可以看到黑色的天空中缀满闪闪发亮的星星，满地都是灰色的陨石坑。水星没有卫星，也没有足够大的引力来束缚住一层大气。没有大气层的水星是一个没有一丁点声响的寂静世界。水星表面上的一条条大裂缝表明，随着位于中心的热铁核逐渐冷却，这颗行星还在继续收缩着。以地球上的时间计算，水星花88天就能绕着太阳跑一圈，但是它自转的速度非常慢，从日出到日落要花176个地球日。所以在这个星球上，一年的时间比一天还要短！处于白昼的这一面，暴露在太阳下达六个月之久，温度达到427℃。这样的高温足以熔化铅，或把地球上的房子点燃。而处于黑夜的那一面，其温度下降到了极寒的－183℃。所以水星同时是我们太阳系中最热的，也是最冷的地方之一。

墨丘利（Mercury）是罗马神话中诸神的信使，他的头盔和脚后跟上长着翅膀。因为水星在天上运行的速度很快，所以西方人用墨丘利的名字给它命名。在一些衍生自拉丁语的语言里（包括法语、意大利语和西班牙语），星期三就是以他的名字命名的（分别是mercredi, mercoled 和mi rcoles）。

卡洛里盆地呈黄色，直径大约1,550千米，它是40亿年前一颗直径约100千米的小行星以十倍的子弹速度撞上水星而形成的。在水星的另一面，冲击波推起了高约2.4千米的高低起伏的山脉。

像我们的月球一样，水星也被陨石坑、陡峭的悬崖和古老的熔岩流弄得坑坑洼洼、伤痕累累。大多数观测者都没有见过水星，因为它的轨道实在离太阳太近，而被掩盖在太阳的耀眼光芒里了。

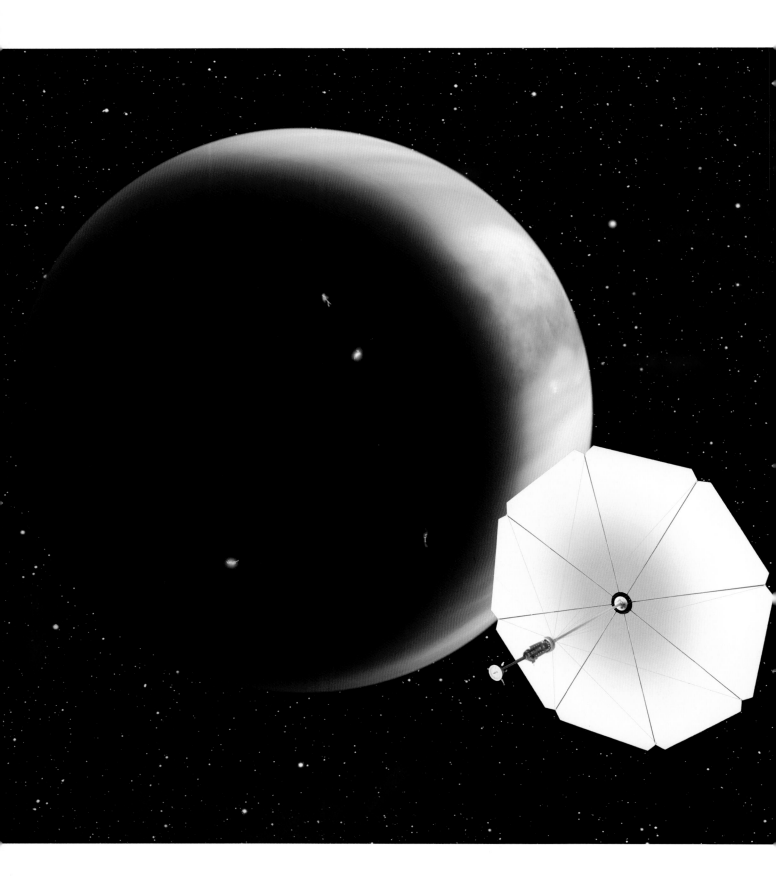

金星
VENUS

维纳斯（Venus）是象征爱、美和春天的罗马女神。金星这颗明亮行星的标志符号就是她的手镜。星期五是一周中属于她的一天。在许多语言中，星期五这个单词的意思就是"维纳斯的日子"。

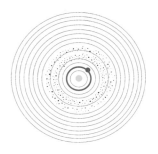

金星：由内往外数，围绕太阳的第二颗行星

金星是一颗非常明亮的行星，因而晚上能在地球上投下阴影。很长时间以来，人们都把它看做地球的"孪生兄弟"，因为它们差不多同样大小，而且构成物质也一样。然而，金星的周围包裹着65千米厚的致命硫酸云，地面上覆盖着成千上万的火山，还不时被1亿伏的高压闪电照亮，金星可以说是地球的"魔鬼孪生兄弟"。这些云层通过失控的温室效应捕集照射进来的阳光，使金星表面的温度升高到465℃，足以把铅块熔化。金星是太阳系中最热的一颗行星。金星的大气在所有行星中也是最致密的，金星表面所承受的重量足以把一艘潜水艇压碎，而金星上的一阵微风能像强大的海浪一般把一名宇航员掀翻。金星虽然与地球几乎同样大小，但在其他方面，它和我们美丽的蓝色地球一点都不像。

有稳定的太阳风提供能源，雄伟的太阳帆正经过金星。在这颗令人难以亲近的行星处于黑夜的那一面，闪电一次次照亮黑黑的云层，不过它们永远无法到达下面的金星表面。

一台未来的空间探测器在金星那被微微照亮的昏暗表面上方盘旋。这颗行星贫瘠的火山地形上发出一种令人毛骨悚然的红光。远处高高矗立在这片可怕的外星土地上的是火山麦克斯韦山脉。它大约高11千米，比珠穆朗玛峰还要高。

地球
EARTH

盖亚（Gaea）是古希腊的大地女神，被称为"大地之母"。她在混沌中诞生，依次生下了天空、海洋和陆地。罗马人称她为特拉。

地球：由内往外数，围绕太阳的第三颗行星

很久以前，在金星和火星之间，一颗特殊的行星形成了，在这颗行星上最终形成了海洋、陆地以及生命。这颗行星就是地球，它是从内往外数围绕太阳的第三颗行星，在太空中闪耀着蓝宝石般的光芒。地球上的微生植物创造出了富含氧气的大气。地球在以每小时1,600千米的速度绕着它的转轴自转的同时，还绕着太阳旋转，它绕太阳一圈需要365天。地球离我们的恒星——太阳的距离恰到好处，是唯一一颗能让水以液体、固体（冰）和气体（在云里）三种形式存在的行星。在所有行星中，地球的地形最多样化。地球坚硬的外壳其实只是薄薄的一层，覆盖着熔融的内部。事实上，如果我们把地球缩小到一个苹果的大小，那么我们所行走的地面就像苹果皮那样薄。然而，在这个美丽的世界里，无论是在海里、在岩石里、在高山上，还是在沙漠中，甚至在高高的大气层里，到处都有蓬勃的生命。

其他任何行星都不像地球这样，地球上有蓝色的海洋和白色的云朵，充满了生命。在左边的图画中，你可以看到地球和伴随它的月球，阴影线将白天和黑夜分开。

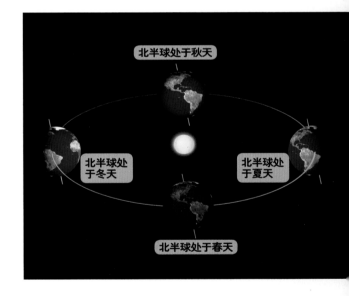

北半球处于秋天

北半球处于冬天

北半球处于夏天

北半球处于春天

季节的更替取决于地球自转轴的23.5度倾角，而不是它距离太阳的远近。当北半球向太阳倾斜时，那里就是夏季，而南半球处于冬季。六个月以后，当南半球向太阳倾斜时，那里就处于夏季，而北半球处于冬季。

地球的卫星——月球
EARTH'S MOON

月球是离地球最近的天体邻居，表面上覆盖着巨大的环形山、崎岖的山脉，还有平坦的暗灰色平原。几十亿年前，有熔岩曾在月球表面流过，形成了这些平原。那么，月球是如何形成的呢？曾经有一个火星大小的天体撞击了地球，激起的碎片冲到太空里，后来就形成了月球。月球很小，没有足够的引力可以束缚

大气层，因此生命从来没有在那里诞生过。不过最近，天文学家们有了一个重大发现，他们在月球的极地地区发现了水。未来的宇航员们可能会非常高兴，因为这样，在将来的某一天，他们就能采集到这些水，并用电把水分解成可供呼吸的氧气和可为探索活动提供燃料的氢气了。

地球和月球之间的引力使月球的自转速度变慢了，因而月球有一面总是向着地球。月球面对我们的这面（正面）与背对我们的那面（背面）十分不同。那些较暗的平原，我们称为月海，几乎全部分布在月球的正面。这些月海是古代火山流出的熔岩冷却形成的。科学家认为月球正面的火山要比背面的多。

分布着月海
的正面

几乎没有月海
的背面

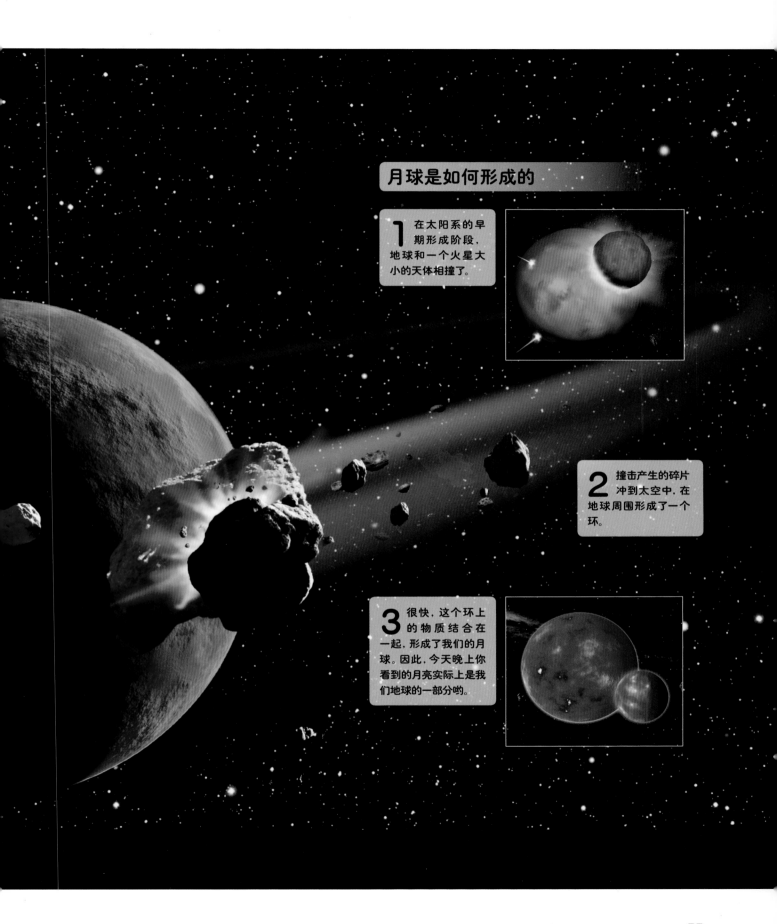

月球是如何形成的

1 在太阳系的早期形成阶段，地球和一个火星大小的天体相撞了。

2 撞击产生的碎片冲到太空中，在地球周围形成了一个环。

3 很快，这个环上的物质结合在一起，形成了我们的月球。因此，今天晚上你看到的月亮实际上是我们地球的一部分哟。

陨石
METEORITES

有时当我们看见它们快速划过夜空时，也许会说："哦，一颗流星！"但实际上我们看到的并不是一颗真正的星星，而只是一块在我们的大气层中燃烧的岩石或金属。这些天体漂浮在太空中，人们称它们为流星体。当流星体进入行星的大气层时，它们会被过度加热而发光，好像一颗流动的星星，因而被称为流星。当流星落到地面上，它们就是陨石。你知道吗？每天有将近一吨重的流星尘埃从外太空飘落到地球上。大部分流星体是由岩石构成的，但大约有10%是由镍和铁构成的。偶尔，一颗巨大的陨石会砸向地球，留下巨大的陨石坑。

周期性的流星雨发生在每年的同一时间，有时非常壮观。它们是彗星留下的残骸。当彗星经过地球时，会在身后留下一块块小碎片，从而形成了流星雨。

流星体至少要有高尔夫球那样大，才能落到地面上。如果太小，它们就会汽化，像尘埃一样从天空中撒落下来。事实上，现在你的梳妆台上可能就有陨石尘埃！

火星
MARS

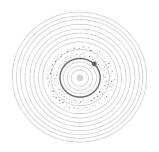

火星：由内往外数，
围绕太阳的第四颗行星

在 距离地球8,000万千米以外的太空中，我们发现了火星——最后一颗类地行星。就像被扔在雨中的铁块，火星的土壤有着锈铁的红色，这也是火星被称为"红色星球"的原因。虽然火星的直径只有地球的一半，但火星却是一个壮观的世界。水手号峡谷（太阳系里目前所发现的最大的峡谷）使在地球上发现的任何峡谷都相形见绌。在左页的图片中可以看到这个大峡谷，其长度相当于从纽约一直延伸到旧金山（大约相当于从北京到拉萨的距离）。火星上有一座高约22千米的火山，有巨大的极地冰帽，还有能刮几个月之久的沙尘暴。也许有一天，人类会在火星上生活，但那不是一件易事。火星的大气以二氧化碳为主，有毒并且寒冷，所以火星表面无法存在液态水。不过，如果你喜欢粉红色的晴空、橙色的火星日落景象和广袤的沙漠风光，那么火星对你来说可能是个完美的度假胜地哟！

当火星运行到离地球较近的地方时，会呈现血红的颜色，这也是罗马人用战神马尔斯（Mars）的名字称呼火星的原因。战神的标志是一支长矛和一块盾牌。星期二是战神的日子。

在未来，探索火星的宇航员们可能会将一个巨大的浮动平台升到空中，用来考察这个红色星球的表面并绘制地图。从平台上往下看，那里的广袤景色一定会非常壮观！

正当未来的探险者们在火星的卫星火卫一上玩得很开心的时候，一场大沙尘暴在火星南部爆发了。在左上方的位置，我们能看到火星的另一颗卫星火卫二，这颗卫星比较小，距离火星也较远。

火星上的水
WATER ON MARS

火星上有沙漠、陨石坑、沙丘，还有远古的河床、古老的火山群，在极地地区还有随着季节更替而变大或缩小的冰帽。尽管火星和地球有许多不同，但它仍然是我们在太阳系中寻找地外生命的最佳地点之一。曾经，火星上的大部分地区可能被浩瀚的海洋所覆盖。40亿年前，火星上的火山爆发，喷出的含硫气体进入大气，导致海洋、湖泊和河流都干涸了。如今，火星是一个巨大的、寒冷的荒漠。不过，最新研究表明，火星地下可能仍然埋藏着一小团一小团的水。最近，科学家从南极的一个湖泊里取回的原始微生物，在模拟今天火星上的环境的试验中存活了下来。谁知道呢，也许在这颗神秘的红色星球的沙子底下，现在仍然存在着火星生命呢！

1. 这是火星北极区的一处悬崖上露出的一层层积冰。这些积冰层可以帮助科学家研究这颗行星的历史，可以揭示最近发生的任何气候变化。

2. 从奥林帕斯山的上方垂直往下看，太阳系中最高、最大的火山映入我们的眼帘。它的高度是珠穆朗玛峰的两倍多，占地面积比夏威夷群岛的所有岛屿加起来还要大。

3. 这些黑色的痕迹是尘暴一路旋转着经过一片沙漠时的路径，尘暴使沙子底下黑色的玄武岩露了出来。火星上的尘暴能比地球上的龙卷风大50倍。不过由于火星上的大气非常稀薄，所以这些尘暴就像午后从你的窗子吹进来的轻风一样微弱。

4. 在这个约1,000米宽的陨石坑里，我们看到60米高的沙丘在坑底部来回移动，还能看到小汽车那样大小的巨砾留下的踪迹。

这不是我们今天常常在图片中见到的火星。火星最初形成的时候，表面上覆盖着浅浅的湖泊、淙淙的河流和浩瀚的海洋，就像地球一样，是一颗蓝色的行星。

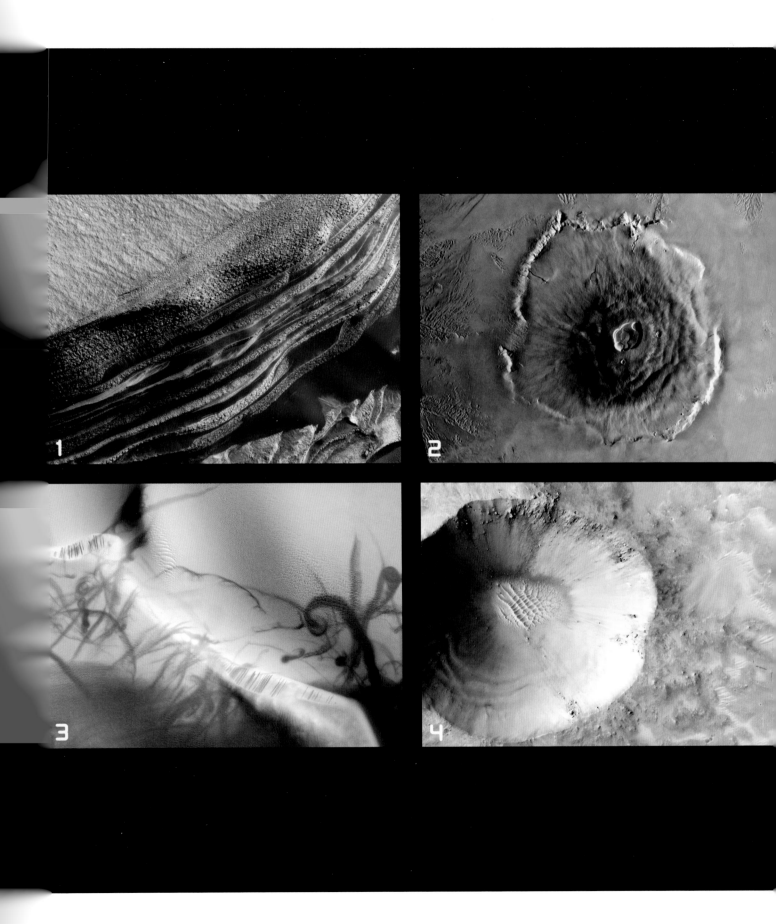

谷神星/小行星带
CERES / ASTEROID BELT

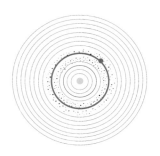

谷神星：由内往外数，围绕太阳的第五颗行星

刻瑞斯（Ceres）是掌管水果、蔬菜和农业的罗马女神。她的标志是弯弯的镰刀——收获时用于收割谷物的工具。

当谷神星在1801年被无意中发现后，天文学家们十分惊讶，他们立即把它列为距离太阳最近的第五颗行星，这样木星就被挤到了第六位。1850年，天文学家们改变了主意，把谷神星重新划为小行星。到了2006年，他们又决定，谷神星属于一类新行星——矮行星。谷神星深深地隐藏在小行星带中，需要4.6个地球年才能绕太阳转一周。它的直径大约是月球的四分之一，是小行星带中最大的天体。小行星其实是早期太阳系遗留下来的残骸，这些岩石质地的残骸之间经常发生碰撞。偶尔，木星的引力会把一颗小行星轻轻地推离它的轨道，把它送向太阳。在极其罕见的情况下，大个的小行星会撞上地球，后果可能是灾难性的。问问那些不幸的恐龙就知道了！

矮行星谷神星（左页图片的右上方）是位于火星和木星之间的小行星带的一部分。从太阳系形成时算起，在小行星带成千上万个天体中，它是最大的一个。

小行星上富含金属。也许有一天，太空矿工们会登上一颗像爱神星（如上图中所示）这样的小行星，收获这些纯金属，把它们送回地球。一颗小行星能值多少钱呢？估计一颗直径为1,600米的固体镍铁小行星的价值是12万亿美元！

木星
JUPITER

木星是太阳系中最大的行星，其他所有行星都可以轻松地塞到它里面。木星至少有63颗卫星，自己几乎就是一个微型的太阳系。这颗行星主要由氢气和氦气组成，其中还混杂着甲烷，没有可供行走的固体表面。木星的天空笼罩着泥泞的冰冻云层和被称为大红斑的两个地球大小的巨型风暴，云层里不断亮起一道道闪电。木星每十小时自转一圈，辐射出的热量是它从太阳得到热量的两倍多。木星中部凸起。木星上那些棕红色的条纹是由氢硫化氨组成的，散发着像臭鸡蛋的刺鼻气味。那些白云则由氨气组成，所以它们闻起来像强力窗户清洁剂。也有环围绕着木星，但这些环都太薄，所以我们从地球上看不到它们。

木星：由内往外数，围绕太阳的第六颗行星

朱庇特（Jupiter）是古罗马众神之王，所以西方人用他的名字为这颗最大的行星命名。在一些语言里，星期四以朱庇特的名字命名（例如在法语中，星期四是jeudi）。

木星的卫星木卫二（也叫"欧罗巴"）的表面冰冷，是观看大红斑的绝佳地点。大红斑是一个已经在木星上肆虐了数百年的大风暴，由于不断有小风暴来补充，这个旋转的风暴似乎永远都不会停止。

木星产生的磁场是太阳系中最强的磁场之一，会使来自太阳的能量粒子改变方向，在木星北极上空形成跳跃的绿色美丽极光。

木星的卫星
JUPITER'S MOONS

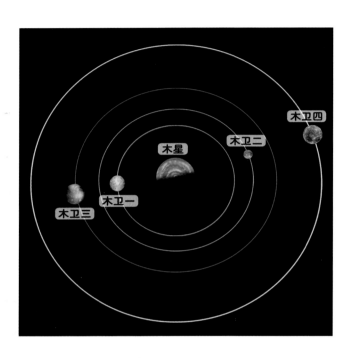

当伽利略第一次用望远镜观测木星的时候，他几乎无法相信自己的眼睛。四颗像恒星一样明亮的天体和这颗行星排成了一条完美的直线。在接下来的几个晚上，这几个小光点沿着这条直线改变了它们的位置。伽利略马上意识到：木星有卫星！这个发现使伽利略确信，那个时代人们所深信的宇宙中的一切都围绕地球旋转的观点是错误的。

你知道吗? 用双筒望远镜就能看见木星四颗最大的卫星。这四颗卫星是伽利略在1610年发现的，所以被称为"伽利略卫星"。木卫一是距离木星最近的一颗卫星，尽管它只有月球那么大，却分布着一百五十多座火山，是太阳系中地质最为活跃的天体。木卫二是距离木星最近的第二颗伽利略卫星，它比木卫一稍小一点，表面上结着冰，冰面下可能是咸水海洋。距离木星最近的第三颗卫星木卫三是太阳系中最大的卫星。木卫三上颜色较深的地方是覆盖着尘土的古老冰层，而那些白色的斑点则是由于陨石撞击暴露出来的较新冰层。第四颗伽利略卫星是被撞击得鼻青脸肿、伤痕累累的木卫四。科学家们还不能确定，在木卫四的冰层下面是否存在液态的海洋，还是这颗卫星上只有冻冰。

1. 木卫一的表面看起来不像是卫星，而更像一个披萨饼。那些红色、橙色和黄色的地方是活火山喷发出来的一层层硫黄和熔岩。由于木卫一距离木星非常近，所以它上面既没有冰，也没有水。

2. 木卫二的冰质表层下面也许有一片深达100千米的温暖咸水海洋。也许将来某一天，水下机器人会去探索这片海洋，寻找生命的迹象。

3. 木卫三比水星、谷神星、冥王星和阅神星这四颗行星加起来还要大。它的冰质表面上布满了陨石坑和尘土，不过在表层下面可能和木卫二一样存在着一片液态的海洋。

4. 木卫四是太阳系中受陨石撞击最严重的天体。它的表面是在大约40亿年以前形成的。和其他三颗伽利略卫星不同的是，它没有一个熔融的内核。

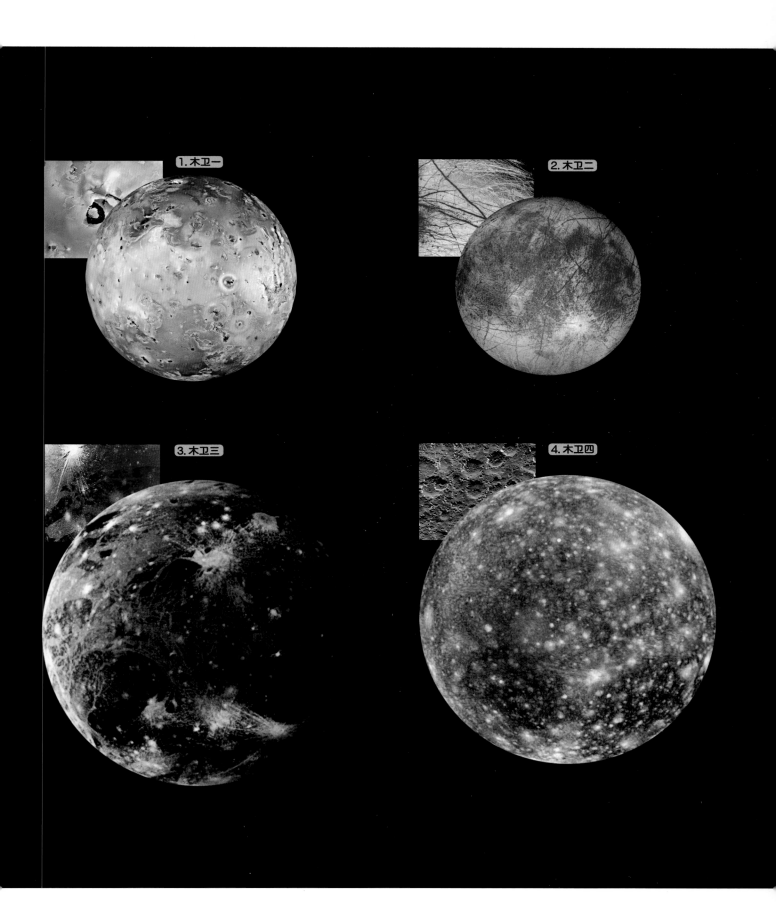

1. 木卫一

2. 木卫二

3. 木卫三

4. 木卫四

土星
SATURN

土星是我们能用肉眼看见的最遥远的行星。和木星一样，它也没有可供行走的表面。土星泥泞的冰冻大气主要由氢气和氦气组成，在土星表面上形成一道道不明显的环带。

土星的密度很小，如果你把它丢到水里，那么它会像软木塞一样浮起来。一组绚烂夺目的环像一顶皇冠那样围绕着土星，这些土星环由成千上万个独立的小环组成。组成土星环的物体小至尘埃颗粒，大至巨型砾石，都是几亿年前被撕裂的一颗小卫星或小行星的残骸。土星环比土星本身还要明亮。天文学家把土星环划分为从A到G七个不同的带。如果你有机会通过望远镜看土星的话，一定不要错过哟，因为太阳系中没有其他行星能像土星这样金碧辉煌。

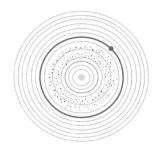

土星：由内往外数，围绕太阳的第七颗行星

由于土星在夜空中移动得非常缓慢，所以罗马人把它和罗马众神的祖父，即朱庇特的父亲萨坦（Saturn）联系起来。萨坦的标志是一把收割谷物的镰刀。星期六（Saturday）为这颗行星而命名。

这个新发现的暗弱的土星环是太阳系中已知最大的行星环。如果你能从地球上看到它，那么土星看起来就像一个小亮点，而这个土星环的直径将是满月的两倍大。

从土星的卫星土卫一上巨大的赫歇尔陨石坑往上看，我们可以发现土星的环有多薄。如果把土星环的直径缩小到一个足球场的大小，那么土星环看起来就像一张纸那么薄。

土星的卫星
SATURN'S MOONS

目前土星有62颗已确认的卫星，这些卫星的大小、形状和颜色各不相同，其中最大、最神秘的要数土卫六。在那厚厚的、铁锈色的云层下面，土卫六可能掌握着解开地球生命起源之谜的钥匙。土卫六比水星以及任何一颗矮行星都大，它有厚厚的大气层，下着绵绵细雨，有季节性变化，还有原油湖泊，那里的原油量可能超过在地球上能找到的原油总量。土卫六稠密的大气层里主要是氮气，另外还夹杂着橙红色的乙烷云和甲烷云。这种大气非常接近40亿年以前原始生命刚刚在地球上形成时的地球大气。土卫六的温度低达−179℃，在这颗遥远而寒冷的卫星上，会有地外生命存在吗？也许在一百年之内，我们能找到答案。

土卫六被红色和橙色的云层笼罩着，主要风景是碳氢化合物的湖泊和河流。在土卫六上，日复一日地下着"雨"，不过落到地面上的并不是水，而是液态甲烷，所以地面总是潮湿而泥泞。

土卫一

土卫一曾经历过一次几乎毁灭性的碰撞，它最鲜明的特征是这个将近130千米宽的赫歇尔陨石坑。

土卫六

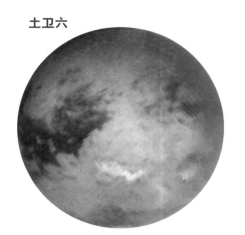

土卫六是太阳系中唯一一颗拥有充满薄雾的厚厚大气层的卫星。在它那冰冻的表面上点缀着深色的液态甲烷湖。

土卫二

冰火山喷发出的冰晶微粒将土卫二包裹起来，所以土卫二几乎能把照射过来的阳光百分之百地反射回太空。

土卫八

土卫八的一个半球是黑色的，而另一个半球则是白色的，是太阳系中唯一的一颗双色卫星。

天王星
URANUS

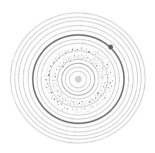

天王星：由内往外数，围绕太阳的第八颗行星

由于大气中含有甲烷气体，天王星散发着海蓝色宝石般的光芒。这颗冰巨星的大小约为地球的八倍，用一架业余的望远镜看，就像一粒小小的豌豆。和太阳系里其他行星不同的是，天王星的自转轴有着98度的倾角。科学家认为，在这颗行星的早期历史上，它曾经被一个非常大的物体撞击而完全侧翻过来，而它的环同样也侧翻过来。垂直望过去，它就像是太空中的一个靶心。目前，天王星的北极面向太阳，而南极则背对太阳，面向太空。这意味着北极正经历着42年不间断的阳光，而随后将会是42年的黑暗。天王星也没有固态的表层，和太阳一样，它主要是由氢气和氦气组成。天王星拥有27颗卫星，仅次于木星和土星，是拥有卫星数目第三多的行星。

一些科学家认为，天王星的卫星天卫五（左图下部）上的沟壑是由陨石撞击而形成的。陨石的撞击使地表下的冰层液化，水上升到表面，然后重新冻结，于是形成了波纹状的图案。

天王星是根据希腊神话中乌拉诺斯（Uranus）的名字而命名的，乌拉诺斯是萨坦的父亲，朱庇特的祖父。他的标志是金属铂的符号。天王星于1781年被人类发现，在那之前，人们只知道六颗行星。

土星
地球（倾斜的）
海王星
天王星

如果地球的倾斜度像天王星那样，那么照射在北极的阳光将会导致极端天气发生，而南极则会经历寒冷的黑暗。大多数生命都会集中在赤道附近的狭长地带。

海王星
NEPTUNE

海王星: 由内往外数, 围绕太阳的第九颗行星

尼普顿 (Neptune) 是罗马的海洋之神, 因此用他的名字为这颗海蓝色的行星命名再恰当不过了。尼普顿的标志是三叉戟——一种古老的鱼叉。

海王星是最小的, 也是距离太阳最远的气态巨行星。它是太阳系所有行星中天气最狂暴的一个, 风吹的速度超过每小时2,000千米。和其他气态巨行星一样, 海王星也没有可供行走的固体表层。海王星云层顶端的温度达到极寒的−214℃, 然而, 它的核心却比太阳表面还要热。内部的热量像冒泡那样向外涌出, 引起了狂风。海王星是人们利用数学计算而发现的。当时天文学家意识到某个大天体正影响着天王星的轨道, 于是他们计算得出了这个天体在太空中的可能位置。他们据此寻找, 结果就发现了海王星。自一百六十多年前海王星被人类发现以来, 它于2011年刚刚完成绕行太阳一整圈。

海王星那蓝色的甲烷云把微弱的阳光反射到它的大个头卫星海卫一冰冻的表面上。海卫一比冥王星还冷, 它上面有冰火山, 喷出的冰冻甲烷碎片散布在海卫一的表面上。

"旅行者2号" 太空飞船在最接近海王星的时候, 为漂浮在其大气层高处的云层拍下了这幅照片。在天王星和海王星的云层顶部下面, 存在着高温、高密的环境, 科学家认为在这种条件下也许能产生钻石。

冥王星
PLUTO

冥王星：由内往外数，围绕太阳的第十颗行星

在 珀西瓦尔·洛威尔生命的最后十年里，这位因相信自己发现了火星上的运河而闻名的天文学家，一直在寻找一颗位于海王星轨道以外的"行星X"。但是无论他怎样努力，最终还是没能找到它。1930年，也就是洛威尔去世14年之后，克莱德·汤博——洛威尔天文台的一位22岁的观测助理——发现了冥王星。在之后的76年里，人们都认为冥王星是离太阳最近的第九大行星。时间到了2006年，那一年冥王星被降级为矮行星，并且由于谷神星的加入，冥王星成为离太阳最近的第十颗行星。因为冥王星的卫星冥卫一（又叫"卡戎"）非常大，所以一些天文学家认为冥王星和卡戎是一个双行星系统。冥王星位于柯伊伯带的边缘处，绕太阳运行的轨道呈蛋形，有时它会穿行到海王星的轨道里面，暂时地重新成为离太阳最近的第九颗行星。

冥王星是太阳系中最冷的天体之一。当它到达轨道上距离太阳最远的地方时，它的大气会被冻住并掉落到地面上，看起来就像一层薄薄的糖霜涂层。

银河系中的恒星帮着照亮了冥王星、它两颗较小的卫星冥卫二和冥卫三，以及大卫星冥卫一上正在喷发的冰火山。在远处，小行星带里的尘埃在太阳周围形成了一圈模糊的亮光。

妊神星/ 柯伊伯带
HAUMEA/ KUIPER BELT

妊神星：由内往外数，围绕太阳的第十一颗行星

妊神星是根据一位夏威夷女神哈乌美亚（Haumea）的名字命名的，哈乌美亚生育了地球上的许多生物。妊神星的两颗卫星则以哈乌美亚的女儿希亚卡和纳玛卡的名字命名。

11

妊神星是迄今为止发现的形状最奇怪的矮行星。图片中显示的是妊神星和它的两个灰色小卫星：左上方的妊卫一（也叫"希亚卡"）和右下方的妊卫二（也叫"纳玛卡"）。在妊神星的表面有几抹奇怪的红色。

妊神星位于柯伊伯带，是太阳系中最不寻常的天体之一。妊神星的最大截面和冥王星一样大，但它的形状更像一枚鸡蛋。一些科学家把这颗行星称为"宇宙橄榄球"，因为它不停地翻滚，就像一个被踢出射门的橄榄球。妊神星每四小时自转一圈，可能是在早期的一次碰撞中，留下了这个椭圆形的天体，并使它开始了非同寻常的快速旋转。我们所能收集到的信息告诉我们，它是一块固体岩石，表面上覆盖着一层闪耀的薄冰。如果你可以把它对半切开，会看到它很像一颗M&M巧克力豆，外面的糖衣就是冰，而里面的巧克力就是岩石。

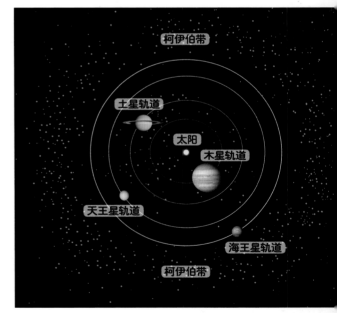

跨过海王星，我们现在进入了柯伊伯带。我们可以把它想象成火星和木星之间的那个小行星带的放大版。除谷神星之外的所有矮行星都是在这里找到的。在这幅图中，柯伊伯带的主要天体显示为绿色，零散的天体被涂成了橙色。

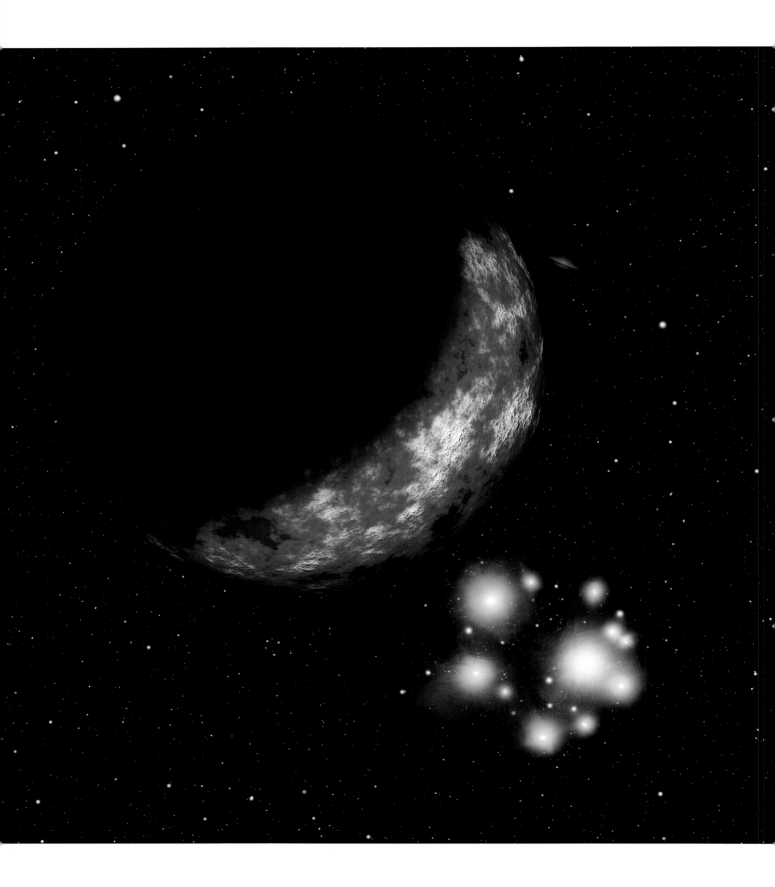

鸟神星
MAKEMAKE

鸟神星是以复活节岛上生殖之神玛科玛科（Makemake）的名字命名的，玛科玛科是人类的创造者，是鸟人崇拜的神灵之首。复活节岛上的很多岩石上都刻着他的形象。

鸟神星：由内往外数，围绕太阳的第十二颗行星

鸟神星和谷神星是仅有的两颗没有卫星的矮行星。由于鸟神星恰好在2005年的复活节前后被人们发现，因此最初被称为"复活兔"。它是人们到目前为止发现的第三大矮行星，比阅神星和冥王星要小。科学家在鸟神星的大气中检测到甲烷和氮气，他们相信，就像冥王星一样，鸟神星的大气在冬天可能也会冻结并落到地面上。这可能就是它在天空中显得如此明亮的原因。地球绕太阳转一周需要365天，而鸟神星的轨道周期是310个地球年。我们无法想象鸟神星上究竟有多冷，因为在地球上根本没有可以与之相比拟的温度。在鸟神星上，即便是在一个"温暖"的日子里，你也不需要翻找夏季的衣服，因为那时的温度是−240℃。

鸟神星呈现出一种奇怪的红色，它反射回来的微弱阳光，刚刚可以用地球上的大型望远镜看到。在远处，昴宿星团这个令人惊叹的疏散星团，闪耀着蓝宝石般的光芒。

复活节岛是距离智利本土很远的一座波利尼西亚岛屿。和以希腊诸神命名的经典行星不同，鸟神星是为了纪念南太平洋群岛的神而命名的。

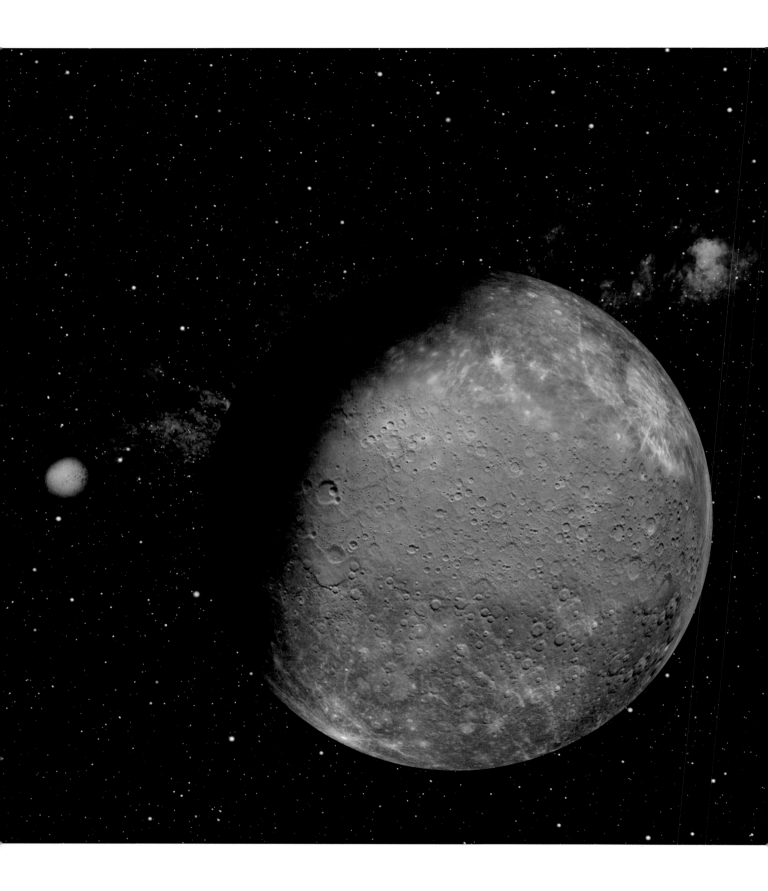

阅神星/ 小矮子们
ERIS/DWARFS

阅神星以希腊的不和女神厄里斯（Eris）命名。厄里斯总会引起麻烦，她的象征符号是苹果。传说她把一个金苹果扔进房间，由此引起的争论导致了特洛伊战争。

阅神星：由内往外数，围绕太阳的第十三颗行星

阅神星是太阳系中最寒冷、最遥远的一颗矮行星，它的轨道呈椭圆形，而不是圆形。阅神星比冥王星大，三分之一由岩石组成，另外三分之二由冰组成。阅神星和它的卫星阅卫一一起，穿过了柯伊伯带，并继续前行了160亿千米。由于阅神星比冥王星大，所以它的发现者们最初称它为太阳系的第十大行星。今天它被划为一颗矮行星。和红色的冥王星和鸟神星不同，阅神星呈现灰色。

矮行星阅神星和它的卫星阅卫一，在太阳系最遥远的地方运行。阅神星是在2005年被发现的，它的发现引发了一场辩论，辩论的最终结果是将冥王星重新分类为矮行星。

未来，更多的矮行星将会加入到我们的太阳系列表中。在我们的宇宙中，矮星是最常见的一种恒星，而矮星系是最为普遍的星系种类。我们有理由推断，矮行星有可能也是宇宙中最常见的一类行星。

赛德娜

厄耳枯斯

万斯

2007 OR10

维沃特

创神星

这里有四个已被列入未来矮行星候选者名单的柯伊伯带天体，还有一个没有正式的名字。你会给它取什么名字呢？

彗星/奥尔特云
COMETS/OORT CLOUD

彗星曾经被称作太阳系里的"脏雪球"。它的英文单词"comet"来源于希腊单词"kometes"，意思是"长着长发的星星"。彗星由沙子、水、冰和二氧化碳组成，可能会突然出现在我们的天空中，拖着幽灵般的长尾巴。哈雷彗星在不到200年的时间里（具体时间大约为76年）可围绕太阳运行一周，它来自柯伊伯带。然而，像海尔－波普那样需要几百万年才能环绕太阳一周的彗星，来自于奥尔特云。随着彗星离太阳越来越近，它们开始解冻。太阳使它们的冰蒸发，形成发光的晕圈，这样的晕圈叫做彗发。很快，在太阳风的吹拂下，一条壮观的长尾巴可能就出现了，它能在太空中绵延几百万千米甚至上亿千

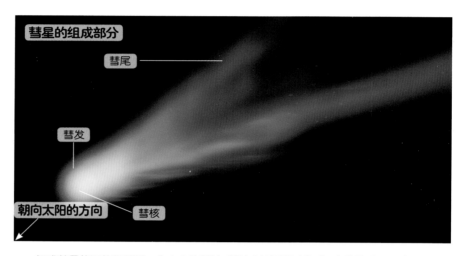

彗星的组成部分
彗尾
彗发
朝向太阳的方向
彗核

组成彗星的固体物质是一个小小的彗核，彗核由岩石和冰构成。当彗核温度升高后，周围会出现一团气态的彗发。当彗星靠近太阳时，会形成长长的离子彗尾（主要由气体构成）和尘埃彗尾，彗尾总是指向背离太阳的方向。也许彗星除了给人们带来一种壮观的视觉体验，还有其他更为重要的意义。很久以前的一次彗星撞击可能为年轻的地球带来了水，这些水填满了我们的海洋，这次彗星撞击可能还为我们这颗星球提供了可以形成生命的基本分子，而这些分子在大约40亿年前形成了生命。

天文学家们相信，太阳星云的塌缩形成了太阳系，而奥尔特云是太阳星云的残留物。奥尔特云可能延伸到了太阳和离它最近的恒星——半人马座比邻星的中间位置。半人马座比邻星位于左图右下角，它自己也有一个奥尔特云。航天飞机要花十万年才能从太阳飞到半人马座比邻星。

米。据历史记载，大约有800颗彗星曾造访过我们的天空。在那遥远的奥尔特云里，可能还有几万亿颗彗星。

太阳系的终结
THE END OF OUR SOLAR SYSTEM

俗话说: 天下没有不散的筵席。有些事情结束可能无关紧要, 但如果地球终结会怎么样呢? 这非比寻常, 需要好好思考一下! 这个问题的关键在于太阳。当太阳在大约46亿年前形成的时候, 聚集了足够的氢气和氦气, 使它可以保持燃烧约120亿年。随着时间的流逝, 太阳已经消耗了一部分燃料来加热我们的地球, 为地球上的动植物提供得以生存的能量。再过十亿年, 太阳将会逐渐耗尽氢气, 如此一来它的亮度会增加。到那时地球会变得像金星一样热。随着时间的推移, 海洋里的水会被蒸发掉, 山川将熔化, 地球看起来就像一个光秃秃的保龄球。50亿年以后, 太阳会膨胀成一颗红巨星, 彻底毁灭水星、金星, 可能也会毁灭地球。在太阳120亿岁的时候, 它会朝太空中吹出一个美丽的行星状星云, 然后体积收缩, 变成一颗小小的白矮星, 并最终消失。

当我们的太阳膨胀成一颗红巨星的时候, 生命应该已经从地球上消失了。如果我们能在此之前掌握太空旅行技术, 那么地球上的生命可能有机会迁移到远处点点繁星之间的其他类地行星上。

右页: 70亿年以后, 随着我们的太阳吹出一个美丽的红色行星状星云, 这可能就是我们的地球和月球上所剩下的一切了。这个气泡会存在一段时间, 最后留下一颗白矮星。

系外行星系统
OTHER SOLAR SYSTEMS

在我们的太阳系以外,天文学家们已经发现了一千多颗太阳系外行星(简称"系外行星"),它们正围绕着附近的恒星运行。其中有一些被称为"热木星",是因为这些气态巨行星绕自己的恒星运行的轨道比水星绕太阳的轨道还要近。我们还发现了一些像天王星和海王星那样大小的行星,因为它们体积较大,所以容易被发现。不久,我们就将揭开第一批类地行星的神秘面纱,它们的运行轨道与其恒星的距离恰好允许液态水存在于其表面。这些系外类地行星主要由岩石和冰构成,其中许多会比我们的地球稍大一点儿,可被称作"超级地球"。事实上,我们已经找到了一些类地行星!接下来的挑战将是确定那里有没有生命存在。在20年内,这个答案有可能被揭晓。

热木星也被叫做"烤炉行星",因为它们的轨道和它们的恒星离得非常近。在上面这幅画里,一颗轨道周期不到一个地球日的热木星,当绕着它的恒星快速移动的时候,像彗星那样在身后留下了一条尾巴。

右图是一位艺术家对一颗超级地球的描绘,这颗超级地球的大小约为地球的两倍。一些超级地球可能是沙漠的世界,而另一些则可能布满浩瀚的海洋。但可以肯定的是,许多超级地球会与我们的地球十分相似,可能会成为未来旅行者有趣的新家园。从现在开始几十亿年后,随着我们的太阳开始步入老年,遥远的星空中那些新世界也许正等待着我们的到来。

词汇表 GLOSSARY

矮行星 一类新定义的小型行星, 包括谷神星、冥王星、妊神星、鸟神星和阋神星。

超级地球 大小是地球1.5~2倍的岩石质地的系外行星。

超新星 一颗巨星步入老年以后, 耗尽了燃料而爆炸, 并把恒星物质抛散到太空中的现象。

地外生命 在地球以外起源的生命。大多数科学家相信存在地外生命, 但目前尚未发现。

光年 光在真空中行走一年所经过的距离。1光年等于9,460,730,472,581千米。光年用于表示太空中的距离。

光球层 太阳的明亮外表层。

轨道 一个天体或人造卫星绕着另一个天体转动的路径。

红矮星 一类温度低且非常暗弱的恒星, 其大小约为太阳的一半。红矮星是宇宙中最为常见的一类恒星。

甲烷 一种无色无味的气体, 是用于做饭和家庭取暖的天然气的主要成分。

类地行星 一类以硅酸盐岩石为主要成分的行星, 也被称为岩石行星。太阳系中的类地行星有水星、金星、地球和火星。

流星 穿过地球大气层的流星体, 燃烧时会留下一道光。

流星体 穿行在太空中的金属或岩石小颗粒。大部分流星体来自小行星彼此撞击后形成的碎片。

气态巨行星 一类主要由冻结的氢、氦和冰组成的大型行星。太阳系中的气态巨行星有木星、土星、天王星和海王星。在气态巨行星上没有表面或者说是地面, 所以在上面行走是不可能的。

热木星 木星大小的系外行星, 其轨道非常靠近它的恒星, 所以非常热。热木星是从地球上最容易探测到的系外行星。

日珥 两个太阳黑子之间的一段弧形气体。日珥可以从太阳表面开始一路"画圈", 在太空中前进几十万千米。

熔融 被极端高温所熔化。许多行星和卫星的中心都有熔融的岩石。

太阳 一颗恒星, 是太阳系的中心。

太阳黑子 太阳表面上由于磁暴而产生的黑暗斑点。它之所以看起来比较暗, 是因为它的温度比周围区域稍低一些。

太阳星云 一个由尘埃和气体组成的云团, 恒星和行星由其形成。

太阳耀斑 在太阳的大气层中, 太阳黑子附近突然发生的一阵剧烈的能量爆发。

卫星 围绕一颗行星运行的圆形物体。

温室效应 行星大气层中的气体捕获了从其恒星传来的热量, 并阻止热量返回太空中, 这就是温室效应。温室效应会导致行星的表面温度上升, 就像栽培热带花卉的温室一样。

系外行星 围绕除太阳以外的恒星运行的行星。

行星 绕着一颗恒星旋转的又大又圆的天体。

星云 爆炸的恒星遗留下的一团气体云。

陨石 坠落到地面上的流星。

比比看你在地球上的体重和在其他行星（或卫星）上的体重

地球	月球	水星	金星	火星	谷神星	冥王星	妊神星	鸟神星	阋神星
50/23	8/3.5	19/9	45/20	19/9	1.5/0.7	3/1.4	2.3/1	2.1/1	3.1/1.4
60/27	10/4.5	23/10	54/24	23/10	1.8/0.8	4/1.8	2.7/1.2	2.5/1.1	4.1/1.9
70/32	11.5/5.2	26/12	63/29	26/12	2.1/1	4.6/2.1	3.2/1.5	2.9/1.3	4.7/2.1
80/36	13/5.9	30/14	72/33	30/14	2.4/1.1	5.3/2.4	3.6/1.6	3.3/1.5	5.4/2.4
90/41	15/6.8	34/15	82/37	34/15	2.7/1.2	6/2.7	4.1/1.9	3.7/1.7	6.1/2.8
100/45	17/7.7	38/17	91/41	38/17	3/1.4	6.7/3	4.5/2	4.5/1.9	6.8/3.1

上面的表格中没有包括木星、土星、天王星和海王星, 因为它们没有表面, 所以就无法站在体重秤上称体重喽! 上面数字的单位是磅和千克。

行星参数表格

名字	水星	金星	地球	火星	谷神星	木星
意义	罗马诸神的信使	代表爱的罗马女神	未知	罗马战神	罗马的农业女神	罗马众神之王
与太阳的距离	第一颗	第二颗	第三颗	第四颗	第五颗	第六颗
行星种类	岩石行星	岩石行星	岩石行星	岩石行星	矮行星	气态巨行星
直径	4,878 千米	12,100 千米	12,750 千米	6,794 千米	940 千米	142,984 千米
密度	5.43 g/cm³	5.25 g/cm³	5.52 g/cm³	3.94 g/cm³	2.08 g/cm³	1.30 g/cm³
轨道形状	⬭	○	○	○	○	○
温度	-183℃~427℃	462℃	-88℃~58℃	-133℃~27℃	-106℃	-150℃
卫星数目	无	无	1 颗	2 颗	无	至少 63 颗
环	无	无	无	无	无	有

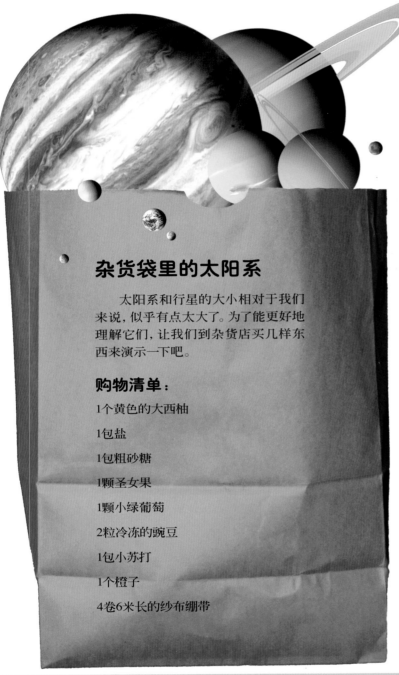

杂货袋里的太阳系

太阳系和行星的大小相对于我们来说，似乎有点太大了。为了能更好地理解它们，让我们到杂货店买几样东西来演示一下吧。

购物清单：

1个黄色的大西柚

1包盐

1包粗砂糖

1颗圣女果

1颗小绿葡萄

2粒冷冻的豌豆

1包小苏打

1个橙子

4卷6米长的纱布绷带

如果我们用西柚代表**太阳**，那么**水星**会像一小粒盐那么大，并且位于离西柚5.5米远的地方。

金星要比水星大点儿，和一粒粗糖差不多大，距离大西柚10.4米远。

地球也和一粒粗糖那么大，距离大西柚15米远。

火星跟一粒盐一样大，距离大西柚23米远。

谷神星像一粒尘埃那么大，距离大西柚46米远。

木星就像一颗圣女果，距离大西柚73米远。

土星是我们的绿葡萄，距离大西柚128米远。

天王星是一粒冷冻的绿豌豆，距离大西柚274米远，大约是三个足球场的距离。

海王星是另一粒绿豌豆，距离大西柚430米远。

说到**冥王星**了，拿起一点小苏打，把它放在大约486米远的地方。（冥王星以及其他矮行星的轨道不像其他行星那样漂亮且呈圆形。它们的轨道形状就像一只鸡蛋，所以它们与太阳的距离是不断变化的。上述距离取的是它们轨道的平均值。）

妊神星是另外一点位于大约521米远处的小苏打。

鸟神星也是一点小苏打，位于大约560米远处。

阋神星是最后一点小苏打，位于823米远的地方，那可是九个足球场的长度！

对于**彗星**，请把四卷纱布绷带首尾相接，连成约22米长的长条，这就是1843年大彗星的大小。

我们要那个橙子做什么用呢？它代表的是距离太阳最近的恒星——半人马座比邻星。半人马座比邻星距离太阳有4.2光年远。如果按照太阳系的比例来摆放的话，它距离大西柚大约是3,862千米。

好了，这就是缩小版的太阳系（加上它的邻居恒星）！

土星	天王星	海王星	冥王星	妊神星	鸟神星	阋神星
罗马的农业之神	希腊的天空之神	罗马的海洋之神	罗马的冥界之神	生育了地球上许多生物的夏威夷女神	复活节岛的生殖之神	制造不和或混乱的希腊女神
第七颗	第八颗	第九颗	第十颗	第十一颗	第十二颗	第十三颗
气态巨行星	气态巨行星	气态巨行星	矮行星	矮行星	矮行星	矮行星
120,536 千米	50,724 千米	49,528 千米	2,302 千米	1,960千米(长轴), 1,518千米(短轴)(椭圆形)	1,600 千米	2,700 千米
0.70 g/cm³	1.24 g/cm³	1.67 g/cm³	2.03 g/cm³	2.6 g/cm³	2 g/cm³	2.1 g/cm³
○	○	○	⬭	⬭	⬭	⬭
-178℃	-200℃	-214℃	-223℃	-223℃	-242℃	-243℃
至少 62 颗	27 颗	13 颗	3 颗	2 颗	无	1 颗
有	有	有	无	无	无	无

致谢

我要把这本书献给所有热爱描绘外星世界，并梦想着去星星上旅行的年轻读者们。宇宙刚刚来过电话并留了言，它说："快来加入我们吧！"此书也要献给贝基·贝恩斯，感谢她的毅力和清晰流畅的编辑；献给戴维·西格，感谢他的乐观精神和艺术天赋；献给南希·费雷斯滕，感谢她的坚定信心；献给杰夫·雷诺兹，感谢他对我作品的大力推广；献给哈佛－史密松名誉天文学家，宇宙历史学家和我的好朋友，欧文·金格里奇博士；献给系外行星专家和海王星轨道的出色讲解人，丽莎·卡滕内格博士；献给哈佛生命起源小组主任，迪米塔尔·萨塞洛夫博士，感谢他的清晰阐述和远见卓识；另外，此书还要特别献给了不起的雪莉女士——我的妻子，她那富有想象力的爱倾注在了我所有书的字里行间。好了，我年轻的读者们，这些行星现在已经井然有序，我们也参观过了银河系里的超级恒星，下一步你们想去哪里呢？

探索无止境

下面是一些非常棒的网站，你可以从中了解有关太阳系的更多信息。

计算你在太阳系里的体重和年龄：
http://www.exploratorium.edu/ronh/weight/

哈勃网站：http://hubblesite.org/

作者的网站：www.aspenskies.com

《天文学》杂志网站：
http://www.astronomy.com/asy/default.aspx

《天空与望远镜》杂志网站：
http://www.skyandtelescope.com/

每日天文图片：http://apod.nasa.gov/apod/

Space.com：http://www.space.com/news/

哈佛－史密松天体物理中心：
http://cfa-www.harvard.edu/

索引

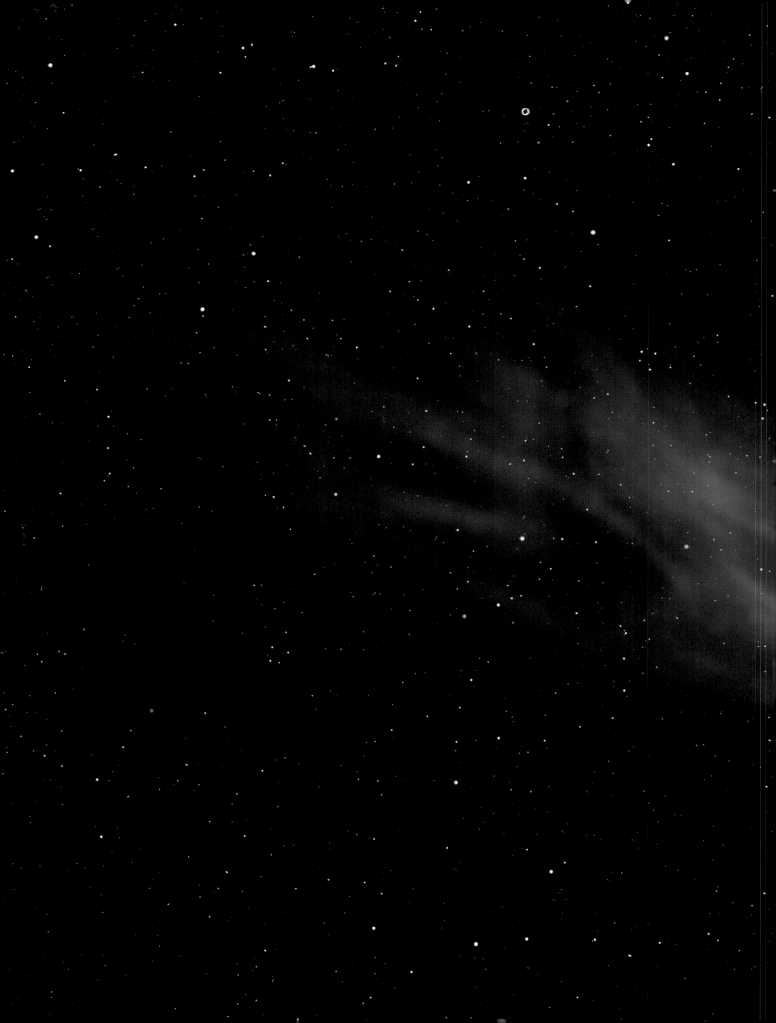